Les A.U.T.R.E.S.

hibouk

Pedro Mañas

Les A.U.T.R.E.S.

Traduit de l'espagnol par Anne Calmels

LA JOIE DE LIRE

L'air de la bibliothèque est épais et suffocant. Les rayons brûlants du soleil traversent la baie vitrée de la salle de lecture et roussissent la peau du crâne de quelques élèves qui piquent du nez sur leurs livres. Personne entre les rayonnages… Enfin, personne, ou presque. Une ombre se faufile silencieusement dans une travée recouverte de moquette grise.

L'ombre a dix ans et s'appelle Franz Kopf, mais à présent, cela n'a plus vraiment d'importance : il y a longtemps que personne ne l'appelle plus comme ça. Quelques-uns le connaissent sous le surnom d'Œil de Cobra et, pour tous les autres, c'est Franz Œil Mort. Mais à présent, cela n'a plus vraiment d'importance non plus. Ce qui compte, c'est que la mission a été un succès. Un peu tardif, peut-être, mais un succès.

La section de la lettre C se trouve dans un coin sombre, au fond de la salle. De son œil valide, Franz Œil Mort passe les livres en revue, titre par titre : *Calembours médiévaux… Canards du monde entier… Caprices du climat européen…* C'est celui-là qu'il cherche. Le garçon l'ouvre à la page 218, sort de sa poche un petit bout de papier soigneusement plié et le laisse tomber dans la pliure. Sur ce papier de la taille d'une carte à jouer est écrit le message suivant :

« Avons trouvé le secret qu'on cherchait – réunion urgente nécessaire demain – OX »

La signature du message représente les deux yeux de Franz : le O symbolise l'œil ouvert, et le X, l'œil fermé. Les membres de l'organisation ont l'interdiction absolue d'utiliser leur véritable nom quand ils sont en service.

Franz relit le message avant de fermer le livre et de le remettre à sa place. Ses camarades comprendront parfaitement sa signification, mais n'importe qui d'autre n'y verra qu'un bout de papier sans intérêt griffonné de mots incompréhensibles. A ce moment précis, Franz se rend compte qu'en fait, c'est justement à cause d'une affiche stupide pleine de lettres incompréhensibles que toute l'histoire délirante dans laquelle il est plongé a commencé.

CHAPITRE 1
UN ŒIL FAINÉANT

YOELKS

EXATZH

RCYHOF

DLVATB

MRTVFU

Le cabinet du docteur Winkel avait beau être plongé dans l'obscurité, il y régnait une chaleur étouffante. Depuis un petit moment, Franz sentait une grosse goutte de sueur se balancer au bout de son nez. A moins de vingt centimètres de cette goutte, le double menton luisant du docteur palpitait comme celui d'un gigantesque crapaud :

– Lis la seconde ligne, Franz, grogna le médecin.

Franz se concentra sur l'affiche devant lui. Son œil gauche le brûlait, mais le droit était impitoyablement caché par la main potelée et poisseuse du médecin. Un peu plus tôt, il avait aperçu un paquet luisant de biscuits au beurre sur le bureau. Winkel devait s'en gaver entre deux patients.

– EXATZH, murmura Franz en priant pour que l'affaire s'arrête là.

– La troisième ligne, fit Winkel, en appuyant un peu plus sa main sur l'œil de Franz.

– La troisième ? Euh… RC... Y… H et… un D et un E, peut-être ?

Quelqu'un étouffa un éclat de rire mauvais dans l'ombre du cabinet. Franz l'aurait reconnu entre mille. C'était sa sœur Janika. Et son rire ne pouvait qu'annoncer une chose : des problèmes.

A coup sûr, il s'était trompé de lettre.

– Les lettres de la quatrième ligne, insista Winkel, sans pitié.

Les lettres de la quatrième ligne ? Quelles lettres ? A cette distance, avec l'œil caché, la quatrième ligne ressemblait au mieux à une succession de chiures de mouche. Il essaya quand même.

– D… ou O ?… L, U… oui, U puis A. Et à la fin, un J et un E.

Un autre éclat de rire de Janika s'éleva, suivi cette fois d'une tape sonore de sa mère.

– Dernière ligne, murmura le médecin, en envoyant sur le nez de Franz des postillons qui se mêlèrent à la goutte de sueur.

– Je… je crois… que…, bégaya Franz.

Une énorme larme inonda son œil gauche.

– Dis-moi ce que tu lis.

– Je lis… je lis…

– Quoi ?

Franz s'avoua vaincu et ferma l'œil. Il avait perdu la bataille.

– Rien, reconnut-il. Je ne vois rien.

Le docteur écarta sa main de l'œil de Franz, appuya sur un interrupteur et une lumière aveuglante envahit la pièce. Le garçon, gêné, battit des paupières et se frotta le visage pour enlever sueur, salive et larmes. Ses parents, assis dans un coin, le regardaient d'un air inquiet. Janika, comme il fallait s'y attendre, souriait. Winkel se laissa choir dans son fauteuil et son énorme bedaine gonfla sa blouse blanche.

– Amblyopie, brama-t-il comme une insulte. Cet enfant a une amblyopie classique.

Toute la famille, confuse, cligna des yeux. Ils ne connaissaient rien à la médecine.

– On l'appelle aussi « œil paresseux », voyez-vous ? poursuivit le médecin. C'est-à-dire que l'un des deux yeux se repose tranquillement tandis que l'autre fait tout le travail. Comme une charrette qui serait tirée par un cheval courageux et un cheval fainéant. Plus le premier tire, moins le second fait d'effort. Donc… l'œil gauche de cet enfant est paresseux. Très paresseux.

– Un vrai tire-au-flanc, conclut-il en riant, son double menton s'agitant dans tous les sens.

Franz n'appréciait pas du tout qu'on parle de son œil comme s'il n'était pas là.

– Et ça se soigne ? demanda le père de Franz, d'un ton angoissé.

– Nous avons eu de la chance de le détecter assez tôt. Franz guérira, il suffit qu'il soit un peu patient, discipliné et qu'il mette ceci pendant un temps.

Le docteur plongea la main dans un tiroir de son bureau et farfouilla sous un gros tas d'ordonnances froissées. Incapable de deviner ce qu'il allait en extraire, Franz laissa germer dans son esprit tout un tas d'idées plus extraordinaires les unes que les autres. Des lunettes à rayons gamma ? Un œil mécanique ? Un rayon laser ? Quelle déception quand le docteur finit par trouver ce qu'il cherchait… Dans la paume de sa main potelée se trouvait un simple morceau de plastique couleur chair, plus ou moins de la taille d'une carte.

— C'est… c'est quoi ? demanda Franz, méfiant.

— Allons, fit le docteur avec un sourire. Ne me dis pas que tu n'as jamais rêvé d'être un pirate.

Franz ne comprenait pas. Sa mère déglutit avec difficulté, lui prit la main et la serra dans la sienne.

— C'est un cache-œil, mon chéri. Un pansement adhésif pour cacher ton œil sain.

Comme ça, l'œil paresseux sera obligé de travailler, n'est-ce pas docteur ?

– C'est ça ! C'est tout à fait ça ! Ne t'inquiète pas, mon garçon. Tu ne te rendras même pas compte que tu le portes.

Une heure plus tard, enfermé dans la salle de bains, face au miroir, Franz rêvait de faire manger le maudit cache-œil au docteur Winkel, de transformer son énorme paquet de gâteaux gras en un énorme paquet de caches gras. Avoir le culot de dire que ce bidule ne se verrait pas ! Et ce machin n'avait rien à voir non plus avec un bandeau de pirate, ce qui aurait été rigolo, il n'était pas noir et collait à la peau. Sa couleur, incroyablement proche de celle de la peau de Franz, était telle que, lorsqu'on regardait son visage, on avait d'abord l'impression qu'en fait, il n'y avait jamais eu d'œil à cet endroit-là. Franz avait vraiment une drôle de tête.

– Franz ! cria son père en tambourinant à la porte. Tu penses sortir de la salle de bains, un jour ?

– Non ! protesta Franz, furieux.

– On peut savoir ce que tu fabriques là-dedans ?

– J'essaie de trouver mon œil !

– Ne sois pas ridicule ! Le docteur Winkel a dit que tu ne serais pas obligé de le porter toute ta vie.

Rien à faire : Franz resta enfermé dans la salle de bains jusqu'à une heure avancée de la nuit. Ce n'est que très tard, lorsque ses parents, fatigués de crier, eurent jeté l'éponge et se furent couchés, qu'il se faufila dans la cuisine sur la pointe des pieds pour dévorer une cuisse de poulet froid et les restes flétris d'une salade qui flottaient dans l'huile.

Si Franz était tellement contrarié par cette

histoire de cache-œil, c'était probablement parce que, jusqu'à ce jour, sa vie avait été complètement, indiscutablement et absolument normale. Il n'était ni très grand ni très petit, ni très intelligent ni très bête, ni très bavard ni très réservé. Franz était peut-être même le garçon le plus normal que j'aie rencontré. Il avait un groupe normal de copains normaux qui jouaient à des jeux normaux et avaient des notes normales, se disputaient à cause de choses normales et vivaient dans des maisons normales au sein de familles normales qui les grondaient pour des raisons normales, comme sauter sur le lit avec des chaussures sales ou ouvrir un nouveau pot de confiture alors que le vieux n'était pas encore terminé. Ce cache-œil était donc le premier événement exceptionnel de sa vie. Ou plutôt, le second.

En réalité, le premier événement extraordinaire de la vie de Franz était à ce même moment caché dans l'ombre de sa chambre, guettant son retour après son festin secret à la cuisine, la bouche déformée par un sourire sinistre et la main posée sur l'interrupteur. Quand Franz entra et tomba sur la main gelée en lieu et place de l'interrupteur, il faillit avoir une crise cardiaque. Puis il comprit.

– Janika, imbécile ! siffla Franz le plus bas possible, en se jetant sur sa sœur. Je vais t'apprendre à faire des blagues !

Janika était petite et aussi leste qu'une souris. Comme d'habitude, elle se débrouilla pour prendre la poudre d'escampette avant que son frère ne l'attrape. Franz entendit sa respiration étouffée de l'autre côté de la porte de sa chambre, mais elle avait poussé le verrou. Pour lui, cette chambre à la porte toujours fermée était un territoire sauvage, inexploré et dangereux.

Quoi qu'il en soit, si j'affirme que Janika faisait exception dans la vie normale de Franz, ce n'est pas simplement à cause de ses blagues cruelles et perverses : elle était vraiment spéciale.

D'abord, depuis son plus jeune âge, Janika souffrait d'une maladie appelée asthme, qui avait empiré avec les années. Elle avait des difficultés à remplir ses poumons d'air, et sa respiration était toujours rauque et laborieuse. Souvent, sans trop savoir pourquoi, quand elle inspirait par le nez, elle produisait un sifflement désagréable, comme une jeune couleuvre, qui dérangeait la plupart des gens.

Mais attention : n'allez pas imaginer une gentille petite fille faible, emmitouflée dans une montagne de couvertures et de manteaux. Pas du tout. Janika était malingre mais forte, elle ne laissait personne l'embêter. Ceux qui essayaient récoltaient presque toujours une formidable cicatrice avec la marque de ses dents pointues. Son père l'appelait « ma petite sauvageonne », et elle souriait, satisfaite.

Janika jouait à des jeux très bizarres qu'elle seule comprenait, et elle passait souvent les récréations seule, à murmurer des choses pour elle-même à voix basse. En classe, tout le monde savait qu'elle était un peu bizarre, et dans son dos, ils l'appelaient Janika la Folle ou Janika le Virus ou les deux à la fois.

Bref, Franz et Janika semblaient si différents qu'il était difficile de se faire à l'idée qu'ils étaient frère et sœur. Même eux avaient du mal. Le garçon le plus normal du monde et la fille la plus bizarre de l'école avaient atterri au même endroit. Franz était convaincu qu'il manquait une case à sa sœur. Quant à ce qu'elle pensait de lui, je n'en ai pas la moindre idée.

Mais ce soir-là, Franz oublia rapidement sa

sœur. Il s'allongea sur son lit, sur le dos, ferma les yeux et décolla très lentement le cache-œil de son visage, avec l'impression d'enlever des chaussures trop serrées. Un courant d'air froid annonçant le premier orage de l'automne se glissa par une fente de la fenêtre et rafraîchit son œil échauffé. Cela l'apaisa un peu. « C'est peut-être une question d'habitude, pensa-t-il. Il n'y a pas de raison pour que ce machin change quoi que ce soit. »

Cette idée l'aida à dormir. Toutefois, il n'imaginait pas à quel point elle était fausse.

CHAPITRE 2

LE FORMIDABLE TRIO DES IDIOTS

Personne n'assista à l'orage, mais le matin suivant, la ville s'éveilla inondée de pluie. La circulation était aussi rapide qu'une procession de tortues et le bus dans lequel Franz voyageait patinait dans les flaques, éclaboussant les piétons qui se pressaient pour arriver à temps au bureau. L'humeur de Franz était aussi plombée que le ciel. Au petit-déjeuner, il avait découvert sous son bol de chocolat un mot écrit à la main disant : « *Nous avons trouvé votre œil. Veuillez vous présenter au bureau des objets trouvés pour le récupérer.* » Franz avait rageusement froissé le bout de papier. Cette blague l'avait tellement mis en colère contre Janika qu'il avait refusé de prendre le même autobus qu'elle. Et à présent, il allait être en retard en classe.

Franz feignait de regarder par la fenêtre tout en surveillant en douce les autres voyageurs. Personne ne paraissait faire attention à son cache. Nombreux étaient ceux qui, encore à moitié endormis, dodelinaient de la tête et se cramponnaient à la barre de l'autobus pour ne pas perdre l'équilibre. Un garçon avec un cache-œil ? Aucun intérêt. Ils en avaient vu d'autres. Une vieille dame apparemment plus réveillée que les autres lui fit un clin d'œil et lui sourit. Etait-ce de la sympathie, de la pitié ou une espèce de blague ? Difficile de savoir. Franz lui rendit timidement son sourire.

Enfin, le bus s'arrêta devant les grilles de l'école. Il était tard et le porche de l'entrée était désert. La classe assommante de Mlle Kruegel avait probablement commencé. Franz courut dans les couloirs vides vers sa salle et l'écho de ses pas résonna dans les étages de l'immense et vieux bâtiment. Il essuya sa sueur, toucha son cache pour s'assurer qu'il était bien en place et ouvrit la porte.

– Franz Kopf ! Tu trouves que c'est une heure pour… ? Oh !

Mlle Kruegel s'approcha et ouvrit les yeux si grand que son épaisse couche de maquillage se craquela.

– Pardon, mon garçon. Viens, à partir d'aujourd'hui tu vas t'asseoir au premier rang, à côté de Jakob. Berta, change de place.

Sans quitter Franz des yeux, Berta commença à prendre ses affaires pour déménager au quatrième rang. En réalité, toute la classe le regardait, intriguée. La sueur se mit à perler autour du cache de Franz.

– Je n'ai pas besoin d'être au premier rang, madame, murmura-t-il. A ma place ça ira très bien. En plus, mon œil doit s'habituer à…

– Franz, Franz, ce n'est pas grave d'avoir un œil abîmé. Cela ne veut pas dire que tu n'es plus bon à rien. L'histoire est pleine d'estropiés célèbres. Regarde Toulouse-Lautrec. Il était nain. Et Miguel de Cervantès, manchot.

– Oui, mais je ne suis pas…

– Homère était aveugle et Beethoven est devenu sourd. De véritables épaves humaines, qui ont lutté contre la fatalité et mis à profit le peu que leur offrait la vie, défiant les moqueries des gens normaux.

– Merci, mais mon œil doit seulement…

– Ce n'est rien, ce n'est rien. Tu t'assoiras au premier rang, dit-elle en portant la main à son cœur de façon théâtrale. Je ne veux pas qu'on dise que je méprise les gens diminués.

Franz prit place, écœuré. Si Mlle Kruegel avait essayé de lui rendre service, c'était raté. Il n'osait pas se retourner mais sentait des milliers de regards lui brûler la nuque. Jakob, le bûcheur, l'observait avec curiosité, ses yeux biglant affreusement derrière ses gigantesques lunettes. Franz évita son regard et se concentra sur le tableau. Il lui faudrait être patient.

Avant la récréation, ils firent des mathématiques. Quand la sonnerie retentit, Franz avait mal au cœur à force de lire des chiffres avec son œil paresseux. En une minute, il fut entouré de tout un tas de camarades, comme une rock star sollicitée par les journalistes. Il eut l'impression d'être important. « C'est quoi ce truc ? », « A quoi ça sert ? », « Tu vas le porter combien de temps ? », « Ça fait mal ? », « Tu vas être opéré de l'œil ? », « Il y a une affreuse cicatrice avec du sang dessous ? ». Franz sourit.

Apparemment, rien n'avait changé. Il répondit patiemment aux questions et tout le monde eut l'air satisfait. Puis il se dirigea vers les escaliers et agrippa prudemment la rampe tandis que les autres dévalaient les marches. Sans qu'il s'en rende compte, Jakob, le bûcheur, le suivait de près et continuait de l'observer avec curiosité.

Le terrain de sport était humide et glissant, mais pas assez pour que les élèves renoncent à leur habituel match de basket-ball. Comme d'habitude, Linda et Oliver, les meilleurs joueurs, furent nommés capitaines. Les autres, en rang, attendaient patiemment d'être choisis :

– Giselle ! cria Oliver.

– Matthias, avec moi ! fit Linda.

– Kurt !

– Moritz !

– Euh… Herbert !

Franz s'impatienta. Normalement, il était

l'un des premiers à quitter le rang parce qu'il était rapide et qu'il visait bien.

– Norman.

– Minna !

Olaf, Mathilda, Berta, Patrick… Franz regarda à droite puis à gauche, plus surpris que déçu. Il n'étaient plus que trois. A sa droite, Emily, une fille maladroite et grande comme une girafe qui avait l'air d'avoir poussé en une nuit, se balançait d'un pied sur l'autre. A sa gauche, Holger, le plus gros de la classe, vraiment énorme, se mordillait une petite peau du pouce. Confus, Franz chercha Linda du regard mais elle l'évita.

– Emily, dit Linda.

La fille-girafe s'approcha d'elle à grands pas.

– Hum… Franz, murmura Oliver, après avoir réfléchi un moment.

– Alors Holger, soupira Linda, résignée.

Holger trotta comme un vieil hippopotame jusqu'à l'autre extrémité du terrain et les enfants prirent position. Sauf Franz. Il resta cloué sur place. L'avant-dernier ! Il avait été l'avant-dernier ! Il était tellement surpris qu'il en oublia complètement qu'il devait courir derrière le ballon. Il resta comme ça un moment jusqu'à ce qu'Oliver, voyant que les joueurs de l'autre équipe se promenaient tranquillement de son côté, lui crie :

– Bouge Franz, allez quoi !

Franz revint sur terre, regarda Oliver, chercha le ballon et, la rage au ventre, se précipita pour l'arracher des mains de Linda qui le lançait avec maestria au centre du terrain. Il allait leur montrer qu'il n'avait rien perdu de sa forme. Il prit de l'élan, fit un bond de panthère, tendit la main vers Linda et... dérapa sur le sol humide pour atterrir à plat ventre sur le ciment. Linda éclata de rire, mais Oliver vint l'aider à se relever.

– Merci, murmura Franz. C'est à cause de la flaque.

– Oui, répondit simplement le capitaine.

Franz était loin de soupçonner que pendant qu'Oliver lui tendait la main pour l'aider, ce dernier décidait que même le gros Holger serait une meilleure recrue que lui pour le prochain match. « Il fallait s'y attendre, pensa Oliver, avec son machin à l'œil, il ne vaut plus rien. »

L'équipe de Franz perdait de vingt-deux points quand la sonnerie annonçant la fin de la récréation retentit. Franz avait mal à l'épaule droite et aux genoux. Il se dirigea vers le porche un peu après le reste de l'équipe. Personne ne l'attendit ou ne lui fit de place dans le groupe. C'est alors qu'il prit conscience que l'immense

Emily et le gros Holger marchaient près de lui. La bruine se mit à tomber.

– Joli match, pas vrai ? sourit Holger.

– Oui, oui… bien sûr, joli match, répondit Franz, distrait.

– J'adore le basket, cria soudain Emily de sa voix grinçante.

Tous trois prirent place dans la file d'entrée. Holger avait commencé à raconter une étrange histoire sur Mlle Kruegel et Emily était secouée d'éclats de rire stridents. Franz ne faisait pas attention. Dans la file des plus grands, deux filles plus âgées n'arrêtaient pas de les regarder en coin et de glousser. Mais de quoi riaient-elles ? De qui ? D'Holger, d'Emily ou de lui ? Ou des trois ? En fait, ils devaient avoir une drôle d'allure : le Formidable Trio des Idiots. L'une des filles fut prise d'un véritable fou rire. Discrètement, Franz s'écarta de ses « nouveaux amis ». Emily et Holger ne semblèrent pas s'en émouvoir. Peut-être étaient-ils habitués.

Pour Franz, la suite de la classe fut un véritable enfer. Si les filles de la cour le trouvaient ridicule, peut-être que les autres pensaient la même chose. Il passa la journée à surveiller ses camarades avec angoisse. Dès qu'il entendait un murmure ou un petit rire dans son dos, il prétextait n'importe quoi pour se retourner et vérifier si on se moquait de lui. A un moment, il surprit Olaf en train de se frotter énergiquement un œil. Se moquait-il de son cache ? Ensuite, Moritz murmura quelques mots à l'oreille de Minna. Elle répondit quelque chose qui, depuis le pupitre de Franz, ressemblait à « son œil ». Mais peut-être avait-elle dit « la feuille », ou… comment en être sûr ? Les petits papiers habituels circulaient d'un bout à l'autre de la classe. Franz suivait ces messages à la trace avec inquiétude, en imaginant qu'ils contenaient des blagues horribles sur son œil… ou des dessins ? Ou des surnoms affreux comme « l'aveugle » ou « le borgne » ? A son ancienne place, au quatrième rang, cette imbécile de Berta jouait les pipelettes avec tous ses voisins.

Ce jour-là, Franz revint seul à la maison. Dans le bus, il essaya de dissimuler son cache en enfouissant sa tête derrière les pages d'un livre de sciences naturelles.

– Alors Franz, l'accueillit son père, comment s'est passée la journée ? Un problème avec le cache-œil ?

– Aucun, répondit Franz, amer. Une super journée. Géniale.

– On t'avait bien dit que personne n'y ferait attention, répondit distraitement son père.

– C'est tout à fait ça, grommela Franz. Personne n'y a fait attention.

CHAPITRE 3

RENDEZ-VOUS SECRET AUX LAVABOS
DU TROISIÈME ÉTAGE

En quelques semaines à peine, la vie de Franz bascula. Il se lassa vite d'être le dernier choisi lors de la formation des équipes pour un match. D'être à la traîne dans les escaliers parce qu'il n'était pas capable de courir en bas des marches sans trébucher. Qu'on ne lui garde pas la place au réfectoire. Qu'on regarde son cache du coin de l'œil quand on parlait avec lui. Il devint bourru et méfiant. Il marchait la tête basse, comme s'il avait perdu quelque chose. Puis, en classe, il se concentrait sur le tableau et rien d'autre.

Le pire, bien sûr, c'étaient les récréations. Franz ne s'était jamais autant ennuyé de sa vie. Une récréation ennuyeuse, c'est bien plus épouvantable que trois cours de langue à la suite. Pire qu'écouter un concert d'harmonica du début à la fin, et pire qu'un après-midi entier passé à jouer aux petits chevaux. C'est l'ennui à l'état pur : un ennui mortel. Un assassin audacieux pourrait tuer ses victimes d'ennui à l'aide de toutes les méthodes citées (petits chevaux inclus) et personne ne trouverait jamais le coupable.

Pour survivre lors des récréations, Franz prenait son cahier et, assis dans un coin, en noircissait les feuilles de dessins de monstres et de voitures de course. Autour de lui, des centaines d'enfants couraient, se poursuivaient, se donnaient des coups de pied, criaient et se roulaient par terre dans la cour. Mais pas tous.

Peu à peu, depuis son coin, Franz remarqua d'autres enfants dans d'autres coins. Au loin, derrière les groupes qui jouaient au foot ou aux gendarmes et aux voleurs, plusieurs élèves passaient la récréation assis à dessiner dans le sable, ou à réviser la leçon d'histoire, ou simplement à regarder passer les nuages au-dessus de la cour. Franz ne les connaissait pas tous, mais il se rendait compte que, d'une manière ou d'une autre, ils avaient tous quelque chose de spécial.

Sous le porche, dans un coin, avait l'habitude de s'asseoir un garçon avec un appareil dentaire monstrueux qui semblait sur le point de s'échapper de sa bouche. Il jouait avec une bourse de cuir pleine de billes. Une fille avec un survêtement rose jouait, elle aussi, mais à pile ou face. Elle avait les cheveux secs et filandreux comme une vieille serpillière et portait des chaussettes aux couleurs horribles sous ses sandales. Un nain à grosse tête de CE1, caché derrière la cabane du jardinier, frappait sans arrêt sur les touches d'une machine à calculer, multipliant on ne sait quoi. Jakob, le bûcheur, s'asseyait avec un livre au fond de la cour. Et il y avait aussi une fille qui jouait avec une poupée Barbie chauve, un garçon tout maigre avec des taches sur les jambes, et une autre fille qui parlait bizarrement… S'il y avait trop de joueurs pour le match de basket, même Holger et Emily passaient les récréations assis à mastiquer leurs sandwichs en silence.

Franz mit de côté les monstres et les bolides et commença à dessiner dans son cahier une carte grandiose et détaillée de la cour de récréation, marquant de points de couleur les lieux exacts occupés par les élèves les plus bizarres de l'école. Aussitôt, il se rendit compte que chaque coin semblait appartenir à un locataire unique, et que celui-ci ne le partageait jamais avec d'autres. Si l'un de ces élèves manquait une journée, son coin restait vide et silencieux, comme un nid abandonné. Mystérieusement, les enfants bizarres ne semblaient jamais non plus parler entre eux. Faute d'avoir mieux à faire, parfois, après avoir fini ses devoirs, Franz déroulait sa carte sur son lit et s'allongeait pour réfléchir à tout ça.

Un jeudi, à peine cinq minutes avant la fin de la récréation, Franz mit le point final à son œuvre d'art. Tout compte fait, la carte avait davantage de points de couleur que ce qu'il avait pensé. Il se sentait assez fier de son œuvre. Une voix grave le fit sursauter :

– Il manque quelque chose.

C'était Jakob, le bûcheur. Mais il ne le regardait pas. Il était appuyé contre le mur et faisait semblant de nettoyer les verres épais de ses lunettes.

– Tu me parles ? demanda Franz.

– Oui, mais ne me regarde pas. Je dis qu'il manque quelque chose à ta carte.

– Quoi ?

– Il faut que tu te dessines toi-même, poursuivit Jakob en regardant vers la cour. Tu es aussi différent qu'eux. Mais c'est une bonne carte. Meilleure que les miennes.

– Toi aussi tu dessines des cartes ?

La sirène de la récréation retentit à ce moment précis et tous les jeux de la cour s'interrompirent soudain. Le bûcheur eut l'air de s'impatienter.

– Je ne peux pas rester là. Ecoute… Non, ne me regarde pas, je t'ai dit. Je cherche des gens comme toi pour organiser quelque chose… Ne me regarde pas !

– C'est difficile de parler comme ça ! Organiser quoi ?

– Un endroit où tu n'auras pas à avoir honte de ton cache.

– Je ne comprends pas de quoi tu parles.

– Tu fais comme tu veux, mais je crois que ça nous intéresse tous les deux. Si tu te décides, attends-moi demain à cinq heures moins dix aux lavabos du troisième étage, ceux du bout du couloir.

– Mais l'école ferme à cinq heures…

– Pas pour tout le monde. Je m'en vais maintenant. Ne me regarde pas !

Jakob se dirigea vers le porche mais, arrivé à la hauteur de Franz, il se baissa comme pour refaire son lacet.

– Je sais que tu ne comprends rien, mais fais-moi confiance. Fais-nous confiance. Il n'y a pas de raison pour que tu passes d'autres

récréations à dessiner des petits monstres.
Salut Franz !

« Tu es aussi différent qu'eux », avait dit Jakob. Que voulait-il dire ? Comment pouvait-il être différent, lui ? Le bûcheur avait insinué que c'était lié à son cache. Mais on ne devient pas différent à cause d'un petit pansement qui tient dans la paume de la main… Si ? Etait-il possible que ce minuscule objet ait le pouvoir de transformer quelqu'un ? Y avait-il un « Franz avec cache-œil » et un « Franz sans cache-œil » ?

Ses parents ne purent manquer de remarquer que Franz était très pensif pendant le goûter. Quand, distrait, il fut sur le point d'étaler de la confiture sur son sandwich à la mortadelle et aux olives, son père intervint :

– J'ai l'impression que tu as la tête ailleurs, Franz.

– Vous croyez que je suis normal ?

– Quelle question ! s'exclama sa mère. Bien sûr que tu es normal !

– Alors vous croyez que je suis comme les autres ?

– Tu es aussi bien que les autres. Quelqu'un t'a embêté ?

– Non, répondit Franz en baissant les yeux. Donc, je suis exactement comme les autres.

– Exactement pareil, affirma sa mère.

– Alors n'importe qui pourrait me remplacer. N'importe qui pourrait être Franz Kopf.

Ses parents ouvrirent des yeux comme des soucoupes et en oublièrent de mastiquer. Franz était parvenu à une conclusion très étrange. Janika, qui, le nez dans le placard, farfouillait dans une boîte de gâteaux pour en trouver un à son goût, ne perdait pas un mot de la conversation.

Le lendemain, Franz traîna le plus possible à la fin du cours d'histoire pour se retrouver le dernier à sortir. Il ramassa un par un ses cahiers, ses crayons et ses livres, et les rangea méticuleusement dans son sac à dos. Quand il fut enfin seul, il sortit de la salle et au lieu de se diriger vers les escaliers et la sortie, il monta discrètement jusqu'au troisième étage. Un couloir désert et silencieux le conduisit jusqu'aux lavabos. Jakob s'était montré très malin en choisissant cet endroit isolé.

Arrivé devant les toilettes pour les garçons, Franz poussa très doucement la porte et passa la tête à l'intérieur. Trois lavabos et trois cabinets aux portes vertes et à l'odeur de canalisation, comme dans toutes les toilettes de l'école. Celles-ci semblaient particulièrement abandonnées. Cependant, une fois que Franz eut refermé la porte derrière lui, il eut la sinistre impression d'entendre un murmure sourd, comme une respiration étouffée.

– Il y a quelqu'un ? murmura-t-il.

Pas de réponse. Franz s'approcha du premier cabinet et appuya sur la poignée. Normalement, dans les films d'horreur, il faut ouvrir deux ou trois portes avant d'assister à une scène épouvantable. Franz n'eut pas à attendre autant.

– Ahhh !

Il inspira à fond pour remplir ses poumons qui s'étaient bloqués d'un coup.

– Mais qu'est-ce que vous faites là ?

En équilibre sur la cuvette des WC, trois élèves l'observaient, pâles comme des spectres. Ils avaient aussi peur que lui. Franz les reconnut immédiatement car ils figuraient tous sur sa carte des élèves bizarres. Il n'y avait ni plus ni moins que le garçon tout maigre avec les taches sur les jambes, celui avec les bouts de fer tordus dans les dents et un bègue plus âgé qui s'excusa en descendant de la cuvette.

– On croy-croy-croy-ait que c'était le con-con-con-cierge.

Sept autres enfants sortirent alors des deux autres WC (trois de l'un et quatre de l'autre). Tous étaient de vieux habitués de la carte de Franz, bien qu'il ne connaisse personnellement que le gros Holger, qui lui souriait gentiment.

– Salut Franz, fit-il à voix basse. Je ne savais pas que quelqu'un de ma classe allait venir.

– Salut Holger, répondit Franz. Dis, tu sais ce qu'on fait là ?

Une voix grave répondit depuis la porte :

– On est sur le point de changer le cours de l'Histoire.

Franz se retourna, l'air ennuyé. Si, en fin de compte, il décidait de s'impliquer dans cette affaire, il allait devoir expliquer à Jakob qu'il n'aimait pas être pris par surprise. Et encore moins avec des phrases aussi ronflantes que ça.

CHAPITRE 4
L'IDÉE DE JAKOB

Quand ils quittèrent les toilettes, les lumières du bâtiment étaient éteintes et l'école plongée dans l'obscurité.

– Cela veut dire que le concierge est déjà parti, murmura Jakob. Attendez un peu.

Il poussa la porte des lavabos des filles et siffla doucement. Aussitôt, un autre étrange cortège en sortit, mais composé uniquement de filles : Emily la géante, une gamine de CE1 avec des joues énormes, la fille au survêtement rose et aux cheveux ébouriffés, celle à la Barbie chauve (la poupée bien serrée contre sa poitrine, comme si on allait la lui enlever…). Filles et garçons se regardaient sans dire un mot. Jakob ne donna pas plus d'explications mais, d'un geste, leur enjoignit de le suivre. Vingt-trois enfants avancèrent dans les ténèbres de l'école. Le silence était presque absolu : la seule chose qu'on entendait, c'était le grincement de quelques appareils dentaires.

Jakob les conduisit dans les escaliers jusqu'au rez-de-chaussée. En effet, la loge du concierge était vide. Le bûcheur la contourna et avança d'un pas décidé vers un couloir situé derrière. Sur la gauche, quelques marches de béton se perdaient dans l'ombre d'un étage inférieur. A ce que Franz savait, cet escalier menait uniquement à la chaufferie et à la réserve de matériel scolaire. Jakob descendit. Il semblait s'orienter sans problème dans ce labyrinthe.

Ils passèrent devant plusieurs portes avant que leur guide ne s'arrête devant l'une d'entre elles, qui était peinte en rouge. Des murmures d'impatience s'élevèrent à l'arrière. Jakob fouilla dans sa poche et en sortit une clef longue et pointue. Il la fit tourner dans la serrure et… clac ! la porte s'ouvrit. Evidemment, il ne s'agissait pas d'un simple entrepôt. Et encore moins d'une chaufferie.

Ils se trouvaient dans une salle aux dimensions exceptionnellement grandes, avec des fenêtres si hautes qu'il était absolument impossible de les atteindre. Les vitres sales laissaient filtrer une lumière douce et verdâtre, comme celle d'un aquarium. Le sol était recouvert de matelas étroits et décolorés. Dans un coin étaient rassemblés un vieux cheval d'arçons à trois pattes, quelques bancs, un trampoline cassé et plusieurs cerceaux de hula hoop brisés. On aurait dit les restes d'un gigantesque animal préhistorique. Et tout, absolument tout, était recouvert d'une couche de poussière de plusieurs centimètres d'épaisseur.

Holger laissa échapper un sifflement d'admiration.

– L'ancien gymnase !

Ni plus ni moins. Dans l'école, la rumeur courait qu'avant l'inauguration du gymnase moderne du premier étage (avec douches individuelles et revêtement plastique renforcé au sol), les anciens élèves utilisaient des installations sportives qui avaient été fermées parce qu'elles étaient dangereuses. Apparemment, ce n'était pas qu'une légende.

– Comment tu savais qu'il était ici ? chuchota Franz.

– Je ne le savais pas. J'ai dû faire de nombreux calculs, ça m'a pris du temps. J'ai additionné les dimensions de toutes les pièces et ça ne tombait pas juste. Il manquait quelque chose quelque part, alors je me suis dit qu'après tout, le vieux gymnase existait peut-être. Il ne restait plus qu'à trouver les fenêtres depuis l'extérieur. Elles donnent sur l'arrière de la cour, dans la haie. Ils ont peut-être laissé pousser les arbustes pour qu'on ne les trouve pas.

– Et la clef ? Tu as aussi réussi à l'avoir grâce à des calculs ?

– C'est une autre histoire. Ce n'est pas parce qu'on est un bûcheur qu'on ne peut pas être un homme d'action.

Franz se tut, impressionné. Il n'avait jamais entendu un bûcheur se traiter de bûcheur.

– Asseyez-vous où vous pouvez, s'il vous plaît ! cria Jakob.

Les enfants se dispersèrent dans la pièce en soulevant de grands nuages de poussière. Franz s'assit en tailleur sur un matelas dur et dépenaillé. Près de lui, la fille au survêtement rose et aux sandales regardait devant elle, l'air rêveur. Franz profita de la lumière pour jeter un œil au reste du groupe.

Des enfants avec des lunettes comme celles de Jakob, à la tête de chouettes géantes, des enfants avec des appareils, d'autres à la voix aiguë ou râpeuse, aux dents cassées ou longues comme celles d'un lapin, aux oreilles décollées comme les portes d'une armoire, d'autres encore qui se grattaient furieusement le cou et la tête comme si leur vie en dépendait, ou avec autant de boutons qu'une tranche de salami. Des gros, des maigrichons, des bossus et des mal habillés : il y avait un peu de tout, mais Franz était le seul à porter un cache-œil. Tous s'agitaient, donnaient leur avis et toussaient à cause de la poussière. « Est-ce que Jakob veut monter un cirque ? » se demanda Franz.

Enfin, le brouhaha s'apaisa peu à peu et

tous les regards se tournèrent vers Jakob, qui consultait un petit carnet. Quand il se rendit compte que le silence s'était fait dans la salle, il leva les yeux, avala sa salive, loucha une ou deux fois et se jeta à l'eau :

– Bienvenue à tous et à toutes. Je m'appelle Jakob. D'abord… euh… merci d'être venus. Je ne pensais pas qu'on serait si nombreux pour un premier rendez-vous. Je vois même ici des personnes qui avaient l'air de se méfier de cette réunion, et cela signifie un grand espoir pour mon projet. Ou, plutôt, pour notre projet.

Il déglutit une nouvelle fois et révisa son carnet. Franz eut l'impression que Jakob l'avait regardé durant une fraction de seconde quand il avait évoqué les gens qui « avaient l'air de se méfier » mais il n'en était pas sûr. Jakob poursuivit.

– Ensuite, je dois dire que…, ajouta-t-il

avant de marquer un temps d'hésitation et de poursuivre, euh… que tout ça me fait honte ! Oui, honte ! Chaque jour, à la récréation, je contemple le triste spectacle de douzaines d'enfants comme vous, chacun dans son coin, mourant d'ennui et isolé des autres. De douzaines d'enfants suppliant qu'on les choisisse pour un misérable match de foot ou de basket. De douzaines d'enfants qui s'assoient seuls au réfectoire tandis que les autres les bombardent de boulettes de pain. Et je demande : pourquoi ?

Tout le monde ouvrit grand ses oreilles. Les paroles de Jakob étaient empreintes de détermination et un éclat particulier brillait derrière ses épaisses lunettes de myope. Franz ne l'avait jamais entendu s'exprimer ainsi en classe. En fait, il n'avait presque jamais entendu sa voix.

– Dites-moi pourquoi ! Pourquoi nous devons supporter à chaque instant qu'on nous traite de « tarés », ou de « gros tas », ou de « sales nains », de « cul de vache », de « rat qui pue », de « fil de fer » ou de « dents de lapin » ? Expliquez-moi pourquoi !

Personne n'osa répondre. Certains avaient les oreilles rouges et regardaient par terre. Un petit de CP se mordait la lèvre inférieure comme pour s'empêcher de pleurer. Jakob quitta ses lunettes et soupira.

– Je ne veux pas vous faire souffrir. Je sais ce que c'est. J'ai porté mes premières lunettes à cinq ans. A cet âge-là, j'ai arrêté d'être Jakob Braun. On m'avait donné un nouveau nom : Quat'zieux. Et tout ça à cause de ces verres tout bêtes, fit-il en faisant se balancer ses lunettes devant le public. J'ai maudit mes lunettes pendant de longues années. Un jour, je les ai piétinées et j'ai dit qu'un camion était passé dessus (il secoua la tête comme pour éloigner ce souvenir de ses pensées). Maintenant, je me rends compte que ce n'était pas de la faute de mes lunettes. Les piétiner c'était… comme me piétiner moi-même.

Emily se leva soudain et dit aux autres, très émue :

– Moi, je… je suis la Girafe de la classe depuis que j'ai neuf ans.

– Bien, l'encouragea Jakob.

– Et moi, Fritz, Lan-lan-langue four-four-fourchue de-de-depuis que j'ai sept-sept-sept ans.

D'autres voix s'élevèrent :

– Mon frère et ses copains m'appellent Popotame !

– Depuis que j'ai ce truc pour les dents, ils disent que je mange de la ferraille !

– Moi, je suis Cheveux de sorcière !

Franz tourna la tête vers la droite. La dernière voix était celle de la fille au survêtement rose. Malgré ce qu'elle venait de dire, elle souriait. Franz se sentit obligé de lui dire quelque chose d'agréable.

– Ne fais pas attention. Tes cheveux sont très… originaux.

– Merci. Ton cache est génial. On dirait un androïde.

Franz sentit ses joues s'enflammer. Il se tourna vers Jakob.

– Et ton idée, c'est quoi exactement ? cria-t-il, en essayant de couvrir le vacarme.

Le silence se fit de nouveau. Tous regardèrent Jakob, attendant sa réponse.

– C'est très simple. J'en ai assez de ne faire que me plaindre. Et devant moi, je vois un tas d'enfants qui apparemment en ont aussi assez de ne faire que se plaindre. Pourquoi devons-nous vivre chacun dans notre coin dans la cour ? Voilà la question que je me suis posée pendant des mois. Puis j'ai fini par en parler à quelqu'un, et cette personne m'a assuré que la seule solution était que tous ceux qui en ont assez se rassemblent.

Holger leva la main.

– Tu veux dire monter une espèce d'association ?

– Oui, c'est ça ! Une association. Une société qui mette fin aux abus. Un groupe qui pourrait nous aider chaque fois qu'on aurait des problèmes parce qu'on est différents.

– Et tu crois que l'école nous laisserait faire quelque chose comme ça ?

– Non, il ne faut pas rêver ! Ce n'est pas un club de maths ni un atelier de travaux manuels. Ce serait une société à cent pour cent secrète.

– Tu as dit que tu en avais parlé à quelqu'un, fit une fille dont le visage était couvert d'acné. Qui c'est et pourquoi il n'est pas là ?

– Cette personne veut garder l'anonymat pour l'instant. Mais je vous assure que c'est quelqu'un de très intelligent et qui a de grandes idées pour notre projet. Je pense qu'elle viendra se présenter très bientôt.

Jakob prit une profonde inspiration et se cacha de nouveau derrière ses lunettes. Il semblait content de son discours. Quelques instants d'un silence désagréable s'écoulèrent. Enfin, Fritz demanda :

– Tu veux qu-qu-qu'on te ré-ré-réponde mainte-te-tenant ?

– Euh… ah… non, bien sûr, répondit Jakob, confus. Bien sûr que non. Réfléchissez-y ce week-end. Vous me donnerez votre réponse lundi pendant la récréation.

CHAPITRE 5

LES A.U.T.R.E.S.

Jakob guida le groupe jusqu'au fond de la cour. A l'endroit exact où le bûcheur s'asseyait pendant les récréations, en s'approchant bien, on pouvait remarquer quelques coupes stratégiques dans le grillage.

– Cela fait des semaines que je travaille avec la lime et les pinces. C'était pénible, mais à présent, on a notre propre passage. Confidentialité garantie, dit-il en retirant un morceau du grillage. Un par un, s'il vous plaît, et en silence. Il vaut mieux qu'on ne nous voie pas ensemble.

Les candidats à la société infantile la plus secrète de l'Histoire passèrent par le trou et s'égaillèrent aux quatre coins du quartier comme une poignée de chats de gouttière. Franz, pour sa part, fit un détour avant de rentrer chez lui. Marcher l'aiderait à réfléchir. Cette réunion avait été très étrange.

Jakob avait bien parlé, et surtout, il avait impressionné le public. Mais les enfants étaient-ils prêts à s'engager dans un projet aussi absurde ? Et lui, Franz, avait-il des raisons de les rejoindre ? Sa situation était délicate : il était devenu anormal parmi les gens normaux, mais parmi les gens anormaux, il se sentait encore normal. Après tout, il n'avait pas étrenné son premier cache-œil à cinq ans. Il n'était pas obligé de supporter les insultes de qui que ce soit. Ou du moins, c'est ce qu'il croyait.

Il passa le week-end à réfléchir à la question, et le lundi matin, il n'avait toujours rien décidé. Pendant la récréation, il remarqua que, l'un

après l'autre, tous les enfants qui avaient parti-
cipé à la réunion secrète passaient discrètement
dans le coin de Jakob. Lui apportaient-ils de
bonnes nouvelles ? Ou de mauvaises ? Jakob
prenait des notes dans son petit carnet. La fille
au survêtement rose fut la dernière à passer le
voir, en courant, l'air essoufflée. Tandis qu'elle
parlait avec Jakob, elle leva les yeux un instant
et surprit Franz en train de les espionner depuis
son coin. Sans savoir que faire, Franz se leva et
se dirigea vers sa salle, assailli par le doute.

La salle était encore vide. Franz s'assit à sa
nouvelle place, au premier rang, croisa les bras
sur le pupitre et y appuya sa tête, comme il avait
vu ses parents le faire quand ils étaient tracassés
par quelque chose. C'est alors qu'il le vit.

Quelqu'un avait fait un dessin au milieu de
la table. Le dessinateur ou la dessinatrice avait
pris son temps pour représenter, au crayon, le

visage d'un enfant souriant et presque normal. La bouche, le nez, les oreilles, l'œil gauche… Tout était normal. Tout sauf l'œil droit. L'œil droit n'était pas vraiment un œil. Il était vide, c'était un simple trou, profond, d'où surgissait une multitude d'araignées et de vers qui se traînaient sur la joue gauche puis disparaissaient sous le pupitre. Les animaux avaient l'air vrai. Sous cette caricature cruelle et formidable de Franz, on lisait très lisiblement, écrit en grand :

FRANZ LE BORGNE A L'ŒIL MORT

Les yeux de Franz s'emplirent de larmes. Qui avait bien pu dessiner ça ? Il respira profondément et fit un effort pour comprendre qu'à partir de ce moment, il avait lui aussi cessé d'être Franz Kopf. On venait de le transformer en quelqu'un d'autre, appelé Œil Mort.

Furieux, il se leva et quitta la salle. Il avança dans le couloir comme un robot, bousculant les élèves sur son passage. Il trouva la personne qu'il cherchait près de la loge du concierge : Jakob.

– Tu peux compter sur moi, Jakob, murmura-t-il, ému. Je veux faire partie de l'association.

– Bienvenue, Franz, répondit Jakob avec solennité. Je suis certain que tu seras une recrue de valeur pour l'organisation.

– On est combien ? demanda Franz, anxieusement. On est assez nombreux ?

Jakob sourit. Ses lunettes reflétaient l'éclairage fluorescent du couloir.

– Tu ne vas pas me croire, mais tout le monde a dit oui. Tout le monde ! On commence à travailler dès demain. Tiens-toi prêt, ce ne sera pas du gâteau.

Les premières assemblées de l'association

furent non pas difficiles mais épuisantes : une véritable catastrophe. La plupart des enfants donnaient leur avis à cor et à cri et se disputaient âprement avec leur voisin de tapis sans écouter les autres. Certains parmi les plus petits, distraits, se mettaient à jouer avec les cerceaux de hula hoop tandis que Jakob criait pour ramener l'ordre. Franz, Emily, Holger et d'autres grands essayaient de l'aider sans beaucoup de résultats. Mais peu à peu, comme souvent, cela prit forme. Le vieux gymnase fut nettoyé, rangé et nommé « Salle Officielle des Assemblées Secrètes ». Le cheval d'arçons devint une formidable tribune pour prendre la parole en public, et les bancs de gymnastique et les tapis, de confortables fauteuils.

Tous partageaient l'avis qu'il fallait très vite trouver un nom qui les rassemble et qui représente leurs intérêts. Cette tâche en apparence si simple les occupa plusieurs jours. De nombreux, très nombreux noms furent proposés. Les uns plutôt poétiques, comme « La Tribu Sauvage », d'autres plus terre à terre, comme la « Société pour la Défense de l'Elève dans son Coin ». Certains possédaient des nuances obscures, comme les « Rats d'Egout », et d'autres encore faisaient trop m'as-tu-vu, comme « Les Justiciers ». Etonnamment, ce fut le gamin de CE1, celui qui se déplaçait partout avec sa calculatrice, qui résolut le problème. Un après-midi, Jakob, las du temps infini consacré à ce problème de nom, indiqua :

– Ce doit être un nom court et qui en même temps parle beaucoup de nous. Qui dise qu'on est différents, qu'on est à part, qu'on est « autres ».

– Mais « les autres », ce n'est pas très clair, répliqua Emily, pensive.

– Anormaux Unis Très Rarissimes, Exceptionnels et Surprenants, murmura l'élève à la calculatrice, après un moment de réflexion.

– Qu'est-ce que tu as dit ?

– Les Anormaux Unis Très Rarissimes, Exceptionnels et Surprenants. Ou Solitaires. Ou Superdoués.

Jakob sourit. Ils avaient trouvé leur nom : les A.U.T.R.E.S.

Dans une société secrète, il est absolument nécessaire d'utiliser un langage codé pour ne pas être percé à jour. Les enfants jurèrent de ne jamais employer les vrais prénoms de ses membres. Ils oublièrent ceux qu'ils connaissaient déjà et s'appliquèrent à inventer de fausses identités. Jakob Braun n'était plus Jakob Braun, pas plus que Quat'Zieux ou le bûcheur. Pour les A.U.T.R.E.S., c'était la Taupe, car il affirmait que, grâce à ses lunettes grosses comme des loupes, il était capable de voir mieux que les personnes normales dans l'obscurité. Personne ne mit sa parole en doute.

Ceux qui portaient des appareils choisirent des surnoms du type Crocs d'Acier et Mâchefer. Emily se fit appeler la Tour, tout simplement, par allusion à sa taille. Holger devint XXL, et Fritz, le bègue, le Tritureur. Tous les surnoms faisaient, d'une manière ou d'une autre, référence à la différence de chacun ; pourtant, au sein des A.U.T.R.E.S., ce n'était pas un motif de honte mais de fierté. Dans leur imagination, ils se voyaient comme une espèce de bande d'enfants-robots, moitié machines moitié humains, capables de conquérir la Terre s'ils en avaient envie.

Franz, pour sa part, choisit le nom de code d'Œil de Cobra. Il acheta un nouveau cache à la pharmacie et, à l'aide d'un feutre vert, dessina dessus un œil à la pupille étroite comme celle d'un serpent. Il utilisait ce cache secret qui lui donnait un air impitoyable et sauvage uniquement pendant les réunions. Il se moquait à présent qu'on l'appelle par ailleurs Œil Mort. Son œil de serpent tout nouveau était bien vivant.

Tous consacrèrent de longues heures à l'invention de leur nouvelle identité. Il fallait la créer et l'affiner avec autant de délicatesse qu'une œuvre d'art. Certains avaient du mal à se décider. Un jour, dans la queue du réfectoire, Franz aperçut devant lui la fille au survêtement rose dont il ne connaissait pas le véritable prénom (qu'il n'était d'ailleurs pas autorisé à connaître). La fille gribouillait des mots sur un cahier, puis en barrait quelques-uns et relisait pensivement ceux qui restaient. Franz lut par-dessus son épaule : Chevelure de Fer,

Sorcière Rose et Brosse à Dents. Bien qu'il soit expressément interdit de parler aux autres membres en dehors des réunions, Franz osa murmurer :

– Et Mèches Electriques ? C'est d'enfer.

La fille sourit sans regarder Franz. Elle avait trouvé ce qu'elle cherchait.

En vérité, l'interdiction de communiquer entre les membres rendait leurs contacts vraiment difficiles. Les enfants passaient leur journée à se mordre la langue en croisant leurs camarades au portail de l'école, dans la cour, dans les escaliers, ou même en classe. Ils ne pouvaient ni se saluer, ni se sourire. Et, dans la mesure du possible, il était recommandé de ne pas se regarder. La consigne était : « Fais comme si tu ne connaissais pas les A.U.T.R.E.S. »

C'est pour cette raison que les échanges au sein de l'association se faisaient grâce à un ingénieux système de courrier imaginé par Emily (je veux dire la Tour). C'était une lectrice infatigable et elle connaissait la bibliothèque de l'école comme sa poche. Patiemment, elle avait recherché les trente livres les plus ennuyeux du catalogue, ceux qui n'étaient jamais empruntés et qui prenaient la poussière sur les étagères depuis des années : *Guide des danses régionales, Le Manuel du parfait petit grammairien, Gérer son argent de poche*, et ainsi de suite. Puis elle avait attribué un livre à chaque membre. Si un enfant désirait transmettre un message à un autre, il n'avait qu'à lui laisser un mot plié dans les pages du livre correspondant. Les livres devinrent ainsi d'incroyables boîtes aux lettres privées. Chacun vérifiait le sien en cachette en espérant trouver un nouveau courrier. Nombreux étaient ceux pour qui tout cela était devenu un fantastique jeu grandeur nature.

Pour Franz, les A.U.T.R.E.S. fut aussi un lieu extraordinaire où les gens semblaient subir une transformation complète. Par exemple, dans l'association, le gros Holger était agile, résistant, et apparaissait toujours là où on avait besoin de lui. Et il ne fut pas le seul à se transformer. Fritz le bègue apprit à prononcer de longues harangues enflammées sans que sa langue ne fourche une seule fois. Même Franz sentait que son œil paresseux réagissait mieux sous la lumière verdâtre de l'ancien gymnase.

Mais celui qui changea le plus radicalement fut peut-être Jakob. Franz découvrit, derrière ses lunettes de bûcheur, un garçon ingénieux, blagueur et rêveur, le leader parfait dont le groupe avait besoin. Ce fut précisément Jakob qui proposa d'élaborer un règlement général pour l'organisation.

Après de longs et pénibles votes, il fut décidé que les A.U.T.R.E.S. serait une organisation d'aide et de soutien, et non de vengeance. Le règlement se résuma à cinq articles principaux que tous les enfants promirent de respecter :

1. Les A.U.T.R.E.S. est une société de soutien aux élèves qui se sentent différents.

2. Il est interdit aux membres de dévoiler l'existence des A.U.T.R.E.S.

3. La société prime sur tout autre intérêt ou toute autre activité de ses membres.

4. Au sein des A.U.T.R.E.S., tous les membres sont égaux.

5. Tout membre qui en insulte un autre sera immédiatement expulsé.

Le lendemain de l'approbation du règlement, Jakob apporta un message de la part de l'associé mystérieux, qui continuait de collaborer dans l'ombre. Le message disait que le règlement lui semblait excellent, mais qu'il pensait qu'il fallait ajouter un sixième article :

6. La vengeance est justifiée dans le cas où un membre des A.U.T.R.E.S. fait l'objet d'une offense grave, méchante, juste pour s'amuser.

Une fille se leva.

– Je crois que ce qu'il propose…

Elle s'interrompit pour demander :

– La Taupe, comment devons-nous appeler l'associé mystérieux ?

– Ah, oui, répondit Jakob. Il a décidé que son nom de code serait Vipère.

Franz fut surpris. Cela faisait deux serpents dans le groupe. La fille poursuivit :

– Je crois que ce que propose Vipère est complètement juste.

On procéda au vote. L'article 6 fut approuvé à une écrasante majorité.

CHAPITRE 6

UN TRISTE SPECTACLE

Appartenir aux A.U.T.R.E.S. était donc une mission difficile et émouvante. Tout devait être construit à partir de rien : les lois et les systèmes de communication secrets, les noms de code et les lieux de réunion. C'était comme se retrouver devant un univers vierge : les A.U.T.R.E.S. devaient inventer de nouvelles normes pour créer un monde nouveau.

Cependant, certains enfants se plaignaient que la société n'avait encore mené à bien aucune mission réellement ambitieuse ou risquée. Pour le moment, quelques groupes se répartissaient les tâches mineures qui s'imposaient.

Par exemple, la Commission de Repérage était chargée de recruter de nouveaux membres parmi les élèves les plus jeunes de l'école, pour leur offrir abri et protection. Un jour, la fille au survêtement rose entra dans la Salle Officielle des Assemblées Secrètes en tenant un petit gamin par la main. Il devait avoir dans les six ans. Son nez était irrité à force de couler et deux rivières de larmes baignaient ses joues. Ses lunettes dont un verre était brisé étaient attachées à son crâne avec des élastiques. La fille demanda à la Taupe si le garçon pouvait rester malgré son jeune âge. Jakob le regarda, ému, et annonça qu'il serait le bienvenu si tant est qu'il soit capable de tenir sa langue.

Il y avait aussi la Commission des Evasions. Ce groupe devait souvent passer à l'action, surtout lorsque des brutes étaient impliquées. Les brutes s'en prenaient à certains membres de l'association et les menaçaient souvent de les attendre à la sortie. Un dispositif « diversion et évasion » était alors mis en place. Un membre entraîné se chargeait de distraire le gros costaud à la porte de la salle. Heureusement, les gros costauds n'étaient en général pas très malins et il suffisait de leur parler de leur équipe de foot préférée pour qu'ils oublient ce qu'ils étaient en train de faire. Pendant ce temps, d'autres escortaient l'enfant en danger jusqu'au passage secret au fond de la cour, et ce dernier, sain et sauf, s'enfuyait jusque chez lui. Ces évasions étaient dûment célébrées, mais elles ne constituaient pas une solution définitive au problème des brutes.

La Commission de Surveillance des Récréations était constituée des enfants les plus âgés. Ils patrouillaient dans la cour à partir de coins stratégiquement choisis en accord avec la carte dessinée par Franz. Les surveillants feignaient d'être concentrés sur leur sandwich, mais si quelqu'un s'approchait d'un petit avec de mauvaises intentions, ils s'approchaient à leur tour l'air de rien. En une minute, l'agresseur éventuel se retrouvait encerclé, comme par hasard, par cinq ou six patrouilleurs qui le dévisageaient sans un mot, l'air menaçant et armés de grands sandwichs en guise de matraque. L'agresseur faisait demi-tour en essayant de dissimuler sa peur. Holger était sans aucun doute le surveillant le plus impressionnant, ce dont il tirait une grande fierté. Qu'on le traite de Grosses Fesses ou de Mange Saucisses ne lui faisait plus rien.

Bien que l'article 4 de l'association (qui stipulait que tous les membres étaient égaux) fût appliqué à la lettre, quelques élèves se distinguèrent rapidement par leur capacité d'organisation. L'un d'eux était Œil de Cobra : avec son faux œil de serpent, Franz passait d'une commission à une autre, donnant des idées, prenant des notes et mettant de l'ordre. Tous ses camarades le sollicitaient pour lui demander conseil. Il s'en plaignait et leur disait qu'ils étaient pénibles, mais toute cette occupation lui permettait d'oublier qu'il n'était pas heureux. Tous les après-midi, il s'enfermait dans sa chambre sous prétexte de réviser le cours de maths et il réfléchissait à tout un tas de projets pour les A.U.T.R.E.S.

Depuis un certain temps, sa sœur Janika ne l'embêtait plus. C'est peut-être pour cette raison que ce qui arriva un après-midi de décembre au retour de la bibliothèque l'inquiéta autant. Comme ses parents faisaient tranquillement la sieste dans la salle à manger, Franz avança sur la pointe des pieds dans le couloir jusqu'aux chambres. Que sa chambre soit fermée le surprit, mais moins que le fait que celle de Janika soit ouverte. Ouverte et vide. Sa sœur n'oubliait jamais de fermer sa porte. Et si le reste de la maison était vide aussi, cela signifiait que… zut ! Franz se baissa et colla son œil valide contre la serrure. Les portes de la maison, anciennes, possédaient de grandes serrures parfaites pour l'espionnage. En effet, sa chambre n'était pas vide. Janika était en train de fouiller son bureau en silence ! Que diable cherchait-elle ? Elle continua un peu plus d'une minute puis se dirigea vers la porte. Franz eut juste le temps de trouver refuge dans les toilettes. De retour dans sa chambre, il passa en revue son bureau. Tout était en ordre, rien ne semblait avoir été dérangé. Rien… sauf son cache-œil de serpent. D'habitude, Franz le rangeait dans un tiroir, dessin vers le bas. A présent, dans le tiroir, sa pupille verte menaçante se trouvait sur le dessus et semblait lui lancer un regard mauvais. Janika avait trouvé son cache secret !

Franz se serait giflé de n'avoir pas imaginé meilleure cachette. Si sa sœur se donnait comme objectif de savoir ce qui se cachait derrière tout ça, elle le découvrirait. Comme elle était capable de tout dans le seul but d'embêter son frère, elle vendrait la mèche et alors l'association entière s'écroulerait comme un château de cartes. Ce que Franz ignorait, c'était que l'association allait rapidement devoir s'occuper d'affaires bien plus graves que celle-là.

Le lendemain matin, la patrouille de la Commission de Surveillance accomplissait sa mission pendant la récréation sous un soleil étonnamment brûlant pour un mois de décembre. A l'ombre d'un arbre, Holger bâillait et mordait sans entrain dans son sandwich.

Il jeta un coup d'œil aux alentours. Les plus grands suaient sur les terrains de sport et les nains de jardin se traînaient dans le sable, sans soupçonner que les membres d'une puissante société secrète surveillaient à distance chacun de leurs mouvements. Tout semblait en ordre. Il remarqua alors que quelqu'un approchait avec élégance. C'était Linda, la star du basket, la meilleure capitaine d'équipe, une des filles les plus célèbres de l'école.

– Salut Holger. Tu pourrais venir un moment ? demanda-t-elle avec son plus beau sourire tout en enlevant d'un geste savant une mèche de son visage.

Holger devint nerveux. Il ne devait abandonner son poste sous aucun prétexte.

– Je suis désolée, Linda. Là je ne peux pas. Je… je… ce n'est pas possible maintenant.

– Allez, Holgi, s'il te plaît. J'ai eu un problème

en m'entraînant aux tirs à trois points. J'ai besoin de quelqu'un de très fort. Et ces derniers temps, tu es très fort.

Holger, qui avait perdu quelques kilos et se sentait plus en forme que jamais, enfla comme une grenouille.

– Qu'est-ce que tu as besoin que je fasse ? demanda-t-il en essayant d'avaler le bout de sandwich qu'il mâchonnait depuis un moment.

Linda le prit par la main et l'emmena vers un des poteaux du terrain de basket. Le ballon était resté coincé dans le cercle cassé du panier. Les élèves réclamaient depuis des siècles qu'on répare ce foutu panier. Holger comprit ce que Linda lui demandait.

– Je ne sais pas si j'arriverai jusque-là, Linda.

– Bien sûr que si, fit-elle en battant de ses longs cils noirs.

Holger sourit, cracha dans ses mains et s'agrippa aux barres de fer du poteau. Il escaladait avec une formidable agilité. Franz, de l'autre côté de la cour, contemplait la scène et se demandait pourquoi diable Holger se promenait dans les airs comme un orang-outan. Malheureusement, il n'y accorda pas beaucoup d'importance.

Enfin, Holger atteignit le panier. Il frappa le ballon d'un coup de poing et ce dernier tomba dans les mains de Linda. Le problème, c'est qu'Holger ne savait plus comment faire pour descendre de là. Le panier se balançait dangereusement.

– Aide-moi à descendre, supplia-t-il Linda.

On ne sut jamais si ce que fit Linda par la suite était calculé ou si elle en eut soudain l'idée en voyant le pauvre Holger suspendu au panier. Ce qui compte, c'est qu'elle le fit. Pendant qu'Holger se balançait, Linda attrapa l'une des jambes de son pantalon et tira dessus. La ceinture d'Holger céda de quelques centimètres.

– Mais qu'est-ce que tu fais ?! cria-t-il, couvert d'une sueur dont de grosses gouttes tombaient sur le bitume du terrain.

Linda, prise d'un incroyable fou rire, était incapable de répondre. Elle continua de tirer sur le pantalon de toutes ses forces. Désespéré, Holger battait des jambes.

De loin, et ne voyant que d'un œil, Franz ne distinguait pas bien ce qui arrivait, mais il avait l'impression que ce n'était rien de bon. Il fit alors quelque chose que le docteur Winkel lui avait formellement interdit : il porta la main à son œil droit et arracha le cache d'un coup. Et il vit alors ce qui se passait.

Puisque Linda n'arrivait à rien en tirant sur le pantalon d'Holger, elle avait fini par s'y suspendre. Ses pieds se balançaient à quelques centimètres du sol tandis qu'elle riait comme une gamine sur une balançoire. Holger refusait de lâcher le panier.

Franz et les autres patrouilleurs se mirent alors à courir le plus vite qu'ils purent, mais… trop tard. Quand ils arrivèrent, une foule d'enfants s'agglutinait déjà au pied du panier, attirés par ce spectacle lamentable : Linda se tordait de rire par terre en essayant de glisser ses deux jambes dans une jambe du pantalon d'Holger, qui, suspendu au panier en slip, avec une seule chaussure aux pieds, agitait ses jambes blanches et roses dans tous les sens. Les rires fusèrent dans la cour.

Ce fut un moment très dur pour Franz et les A.U.T.R.E.S. Le règlement disait qu'en pareil cas, les membres de la société ne devaient pas se distinguer des autres élèves. Cela mettrait leur secret en péril. C'est pourquoi, à leur très grand regret, les A.U.T.R.E.S. rirent. Et crièrent aussi, et firent semblant de se moquer jusqu'à n'avoir plus de voix. Mais dans leur for intérieur, ils se juraient de venger Holger. Ils le vengeraient à n'importe quel prix.

CHAPITRE 7
L'ARTICLE 6

L'assemblée extraordinaire convoquée pour discuter de l'« affaire du panier », comme on l'appelait, commença encore plus ponctuellement que d'habitude. Il ne fut pas nécessaire de rappeler le public à l'ordre ou d'attirer l'attention de qui que ce soit. Les enfants prirent place dans un silence absolu. Un certain sentiment d'échec flottait dans l'air. Holger, le témoin principal, était assis en tailleur sur le vieux trampoline du gymnase. Ses yeux étaient gonflés et son menton tremblait un peu. Jakob la Taupe monta sur le cheval d'arçons à trois pattes pour s'adresser aux enfants.

– Nous sommes ici, dit-il tandis que derrière ses lunettes brillait de nouveau cette étrange lueur qui était apparue pendant la première réunion, à cause de l'agression de XXL, membre des A.U.T.R.E.S. depuis sa fondation, patrouilleur efficace de la Commission de Surveillance et, surtout, camarade apprécié de toute l'association. Avant de commencer, j'aimerais, s'il est d'accord, lui donner l'accolade au nom de tous les membres.

Cette accolade émouvante entre Holger et Jakob inaugura l'une des réunions les plus importantes de l'association. Le problème était clair : il fallait décider si l'heure était venue d'appliquer l'article 6 du règlement. Trois votes se succédèrent : « Etait-ce une offense grave ? » fut-il demandé en premier lieu. Majorité absolue de « OUI ». « Etait-ce méchant ? » fut-il demandé ensuite. Le « OUI » triompha à nouveau. « Linda a-t-elle fait ça seulement pour s'amuser ? » demandait la dernière question. Compter les votes se révéla inutile. Un tonnerre de « OUI » résonna dans le gymnase.

Et à présent… quel type de punition devait recevoir Linda ? Le règlement ne disait rien à ce propos. Quelques enfants avaient pensé à leurs méthodes personnelles : poil à gratter dans le maquillage, souris dans son cartable, fourmis dans son sandwich, un bon bain de peinture fraîche ou une coupe de cheveux sauvage en traître. Franz demanda la parole au milieu de ce vacarme d'idées et s'approcha de la tribune :

– Très chers membres, commença-t-il, je vois que nous sommes tous d'accord pour donner une bonne leçon à Linda. Toutefois, je ne crois pas que les méthodes que vous proposez seront très utiles. Le poil à gratter ou les souris, c'est très drôle mais ça n'embêterait Linda qu'un moment, c'est tout. Il faut faire en sorte que Linda vive la même chose que XXL.

— Tu veux dire… la balancer accrochée à un panier de basket ? demanda quelqu'un.

— Ce que je veux dire, c'est que Linda doit, pour une fois, se sentir aussi différente que l'un d'entre nous.

— Impossible, répliqua Emily. Linda est la fille la plus normale du monde.

Franz regarda Emily et mit la main sur son cache-œil. Les enfants retinrent leur souffle. Ce simple geste avait transformé Œil de Cobra en quelqu'un d'autre.

— Regardez-moi. Moi aussi j'ai été le garçon le plus normal du monde. Et je pourrais même passer maintenant pour le garçon le plus normal du monde, fit-il en laissant de nouveau voir son cache. C'est juste un truc. Tout comme j'ai ce cache, Linda doit avoir quelque chose qui la rend différente, quelque chose qu'elle a toujours caché, et que je me propose de découvrir.

Les enfants secouèrent la tête, découragés ; Linda était une fille parfaite depuis la maternelle, alors, tout bien considéré, le mieux était certainement d'opter pour les souris dans le cartable. Soudain, contre toute attente, quelqu'un se leva pour prêter main forte à Franz. C'était Mèches Electriques.

– Moi je t'aiderai, Œil de Cobra ! cria-t-elle, faisant sursauter les enfants assis près d'elle. Je veux dire… si ça ne t'ennuie pas. Moi aussi je crois que cette fille cache forcément quelque chose.

– Et moi aussi, murmura Holger, ouvrant la bouche pour la première fois.

– Bien, dit Jakob, puisque Holger est d'accord, on doit essayer. Vendredi de la semaine prochaine, c'est le début des vacances de Noël.

Disons que si le mercredi vous n'avez rien découvert, on se contentera du poil à gratter.

C'est ainsi qu'Œil de Cobra et Mèches Electriques furent chargés d'enquêter sur Linda pendant une semaine. Ils promirent que s'ils n'obtenaient pas de résultats au bout de la période donnée, ils utiliseraient leur argent de poche pour acheter trois ou quatre kilos du poil à gratter le plus redoutable du commerce.

Ce fut une semaine difficile. Ils eurent beau suivre Linda comme son ombre, elle semblait vraiment être une fille parfaite. Elle ne postillonnait pas en parlant, elle ne manquait pas l'école, elle ne mangeait pas de bonbons pour éviter les caries, elle avait de bonnes notes dans toutes les matières, elle mâchait la bouche fermée et elle allait aux toilettes entre deux cours pour se brosser les cheveux et les garder brillants.

– Elle ne porte pas de perruque, apparemment, commenta Franz, alors je crois bien qu'on perd notre temps.

– Il y a forcément quelque chose, répondit sa comparse. Le problème, c'est qu'on ne peut la surveiller qu'en classe et au réfectoire… C'est difficile de trouver quelque chose dans ces conditions.

Et ils seraient restés bredouilles si quelqu'un ne leur avait pas donné une piste. Ce quelqu'un fut la personne à laquelle ils s'attendaient le moins.

Cela arriva un après-midi, chez Franz. Toute la famille travaillait en silence dans la salle à manger. Pendant que ses parents vérifiaient un énorme tas de vieilles factures, Franz s'arrachait les cheveux sur des exercices de sciences.

– Franz, fit son père, n'oublie pas que

vendredi prochain tu as rendez-vous avec le docteur Winkel.

– Oui papa, répondit Franz distraitement.

– Franz… Tu m'écoutes ?

– Oui papa, répéta-t-il.

– Cela fait combien de temps que tu ne vas pas en soutien ?

– Oui papa, répéta Franz pour la troisième fois.

– Franz !

Janika, qui faisait ses devoirs dans un coin, parla sans lever les yeux de son cahier ni enlever le crayon qu'elle avait à la bouche :

– Laisse-le, papa. Je pense qu'il est amoureux de Linda Himmel. Il la suit partout ces derniers temps, affirma la petite fille avant de s'arrêter pour respirer et émettre l'un de ses sifflements épouvantables.

Franz leva les yeux, inquiet.

– Linda Himmel ? demanda le père de Franz. Qui c'est, cette Linda ?

– La fille la plus célèbre de l'école, répondit Janika. Elle a de jolis yeux de serpent comme ceux de Franz. Mais bon, elle lui plairait moins s'il jetait un coup d'œil à son sac de sport.

Linda Himmel ? Yeux de serpent ? Mais comment Janika faisait-elle donc pour être au courant de tout ? Franz la fusilla du regard. Elle sourit et lui tira la langue. Puis elle prit son cahier et son crayon et s'enfuit en courant dans le couloir. On entendit une porte claquer au loin.

A présent, Franz était sûr que sa sœur en savait trop, mais la seule chose qu'il pouvait faire, c'était agir vite. Si l'association devait disparaître à cause d'un mouchardage, que ce soit au moins après avoir vengé Holger. Par ailleurs, cette histoire de sac de sport... Est-ce que c'était juste un truc de Janika ? Cela valait le coup d'essayer. Le délai pour découvrir le secret de Linda prenait bientôt fin.

Comme Linda rangeait son sac de sport dans le vestiaire des filles, Franz allait être obligé de la retenir à la porte pendant que Mèches Electriques le fouillerait. Et Franz connaissait un moyen infaillible pour accaparer l'attention d'une fille comme Linda :

– Salut Linda, dit-il en souriant lorsqu'il la croisa. C'est incroyable comme tes cheveux brillent aujourd'hui !

Ce fut suffisant. Linda, ravie que quelqu'un aborde son sujet de conversation préféré, même s'il s'agissait d'un idiot borgne comme Œil Mort, entama une longue conférence pour expliquer comment il fallait se brosser les cheveux trois heures par jour après les avoir lavés avec un mélange de purée d'ortie et d'eau de pluie. Franz acquiesçait, l'air très intéressé.

Pendant ce temps, Mèches Electriques avait mis la main sur le sac de Linda. L'estomac crispé par l'émotion, elle tira sur la fermeture éclair et se mit à inspecter son contenu : des vêtements de rechange pour après le cours de gym, un nécessaire de toilette rempli de produits de beauté, un miroir, des peignes, un déodorant, une serviette de toilette violette toute douce avec « Linda » brodé dans un coin... Il n'y avait aucun secret dans ce sac ! Pas de réglisse de contrebande, pas de photo de Linda sans perruque, rien de ce qu'avait pu imaginer Mèches Electriques.

La dernière chose qu'elle trouva au fond du sac fut un sac plastique bien fermé qui semblait contenir seulement des chaussures. Mèches Electriques l'ouvrit par acquit de conscience, car elle ne croyait pas découvrir quoi que ce soit. Et heureusement qu'elle le fit, car sinon le secret de Linda y serait resté enfermé pour toujours. « C'est donc ça ! » se dit-elle en contemplant les chaussures brillantes. Elle comprenait à présent ce qu'avait voulu dire Janika. Réprimant un rire, elle referma le sac et courut libérer Franz des griffes de son ennemie, qui continuait de bavasser sur ses marques de shampoing favorites.

Cet après-midi-là, Franz entra dans la bibliothèque et laissa un message personnel à Jakob dans les pages de son livre. Le message l'informait du succès de la mission et lui demandait de convoquer d'urgence une assemblée. Il restait seulement deux jours avant la fête de Noël de l'école et c'était l'occasion rêvée pour faire ce que Franz avait prévu. En fin de compte, il faudrait un peu de poil à gratter. Mais une poignée suffirait.

CHAPITRE 8

LE SECRET DE LINDA HIMMEL

La fête de Noël avait lieu chaque année dans le Salon d'honneur de l'école. On l'appelait « fête » mais ce n'était pas du tout justifié. Tous les élèves devaient rester assis, les fesses coincées dans des fauteuils étroits, comme des sardines dans leur boîte, tandis que le directeur s'embrouillait dans un discours interminable. Ensuite, chaque instituteur allait à la tribune proférer une tonne de mensonges sur ses élèves. Il expliquait combien ils étaient merveilleux et combien il appréciait de discuter avec eux alors qu'il passait en vérité son temps en classe à les traiter de « têtards mal élevés » et à souhaiter qu'ils ne reviennent jamais de vacances. Enfin, un buffet froid était servi. Ce buffet proposait les restes du réfectoire de la veille accompagnés de jus d'orange chimique. Et il n'y avait même pas assez de boisson pour tout le monde.

Cette fois, cependant, la fête de Noël allait être agrémentée d'un spectacle surprise. Evidemment, seuls les membres des A.U.T.R.E.S. étaient au courant ; depuis deux jours, tambour battant, ils discutaient, calculaient, échangeaient des messages secrets et répétaient pour que, le jour J, tout soit impeccable.

A présent, il n'était plus question de faire marche arrière. Emily avait mené à bien sa mission lors du cours de sport. Tandis que tous faisaient des galipettes à en avoir la nausée, elle avait fait semblant de se sentir mal et s'était réfugiée dans le vestiaire des filles. Là, elle avait saupoudré l'intérieur des chaussures de Linda de quelques cuillerées à café d'un petit pot orange dissimulé dans la poche de son survêtement. L'étiquette du pot indiquait « Poil à gratter à effet retard – Efficacité maximale ».

Le cours de sport était le dernier du trimestre ; par conséquent, à la fin du cours, tous se dirigèrent vers le Salon d'honneur. Les grandes portes s'ouvrirent et une légion d'enfants se précipita vers les fauteuils. Linda Himmel chercha une bonne place au cinquième ou sixième rang. Quand elle fut enfin assise, elle grimaça en s'apercevant qu'elle était entourée de Franz d'un côté et de Holger de l'autre. Pourquoi ces deux anormaux se mettaient-ils à côté d'elle ? Mange Saucisse n'avait-il pas compris la leçon du panier de basket ? Œil Mort avait-il besoin d'autres astuces de beauté pour garder ses cheveux brillants ? Evidemment, ce n'était pas le fruit du hasard. Pour le bon déroulement du plan, il était nécessaire que Linda soit étroitement surveillée à chaque instant. Elle ne se rendait pas compte que tous les membres des A.U.T.R.E.S. l'observaient attentivement depuis leur fauteuil, telles des bêtes sauvages prêtes à bondir sur leur proie.

Le directeur inaugura la cérémonie avec son ennuyeux discours annuel puis céda la place aux instituteurs : M. Danz, Mme Nacht, M. Oster… Tous disaient à peu près la même chose. Quand vint le tour de Mlle Kruegel, Franz commença à s'impatienter. Le poil à gratter tardait à faire effet… Il observa Linda du coin de l'œil. Elle se grattait discrètement la cheville. « Plus bas, crétine, pensa Franz, plus bas. » Comme si elle l'avait entendu, Linda glissa ses doigts à l'intérieur de la chaussure, en essayant d'atteindre la plante du pied. Elle n'avait pas l'air très à l'aise.

En moins de deux minutes, le visage de Linda était tordu de rictus horribles semblant traduire parfois la douleur, d'autres fois le rire. Elle n'arrêtait pas de remuer les pieds pour essayer de soulager la brûlure, en vain. Les enfants qui se trouvaient dans la même rangée qu'elle avaient commencé à lui jeter des regards en coin. Holger, qui ne perdait pas non plus une miette du spectacle, ne put se retenir. Il approcha ses lèvres de l'oreille de Linda et murmura : « Je crains que tu ne sois obligée de te déchausser. » Désespérée, elle essaya de prendre la fuite, mais Franz et Holger lui barrèrent le passage de leurs jambes. Incapable de tenir plus longtemps, Linda n'eut pas d'autre solution que de faire la dernière chose qu'elle aurait voulu faire : enlever ses chaussures.

De nombreux jours plus tard, certains enfants jureraient qu'ils avaient vu un épais nuage vert s'élever des pieds de Linda et se propager dans la salle. L'odeur de ce nuage ne peut se décrire avec des mots. Imaginez que vous préparez une mixture avec du chou bouilli encore chaud, du fromage rance et du pipi de chat, que vous la mélangez avec une chaussette bien sale et qu'ensuite vous ajoutez un peu d'eau d'égout. Comparé à l'odeur des pieds de Linda, ce mélange pourrait se vendre comme un parfum délicat dans les meilleures boutiques de Paris.

Linda n'avait jamais parlé à personne de son problème d'odeur de pieds. Pendant des années, elle avait essayé tous les trucs donnés dans ses magazines de mode, sans aucun résultat. Chez elle, elle rangeait ses chaussures dans un placard spécial pour que sa famille ne soit pas empestée par l'odeur, et son grand frère disait qu'un jour il deviendrait riche en vendant ses chaussettes comme armes nucléaires. Dans son sac de sport, elle devait se contenter de fermer de toutes ses forces le sac plastique où elle les rangeait.

Les élèves du Salon d'honneur commencèrent à avoir mal au cœur. Mlle Kruegel continuait de parler sans rien remarquer tandis que le nuage toxique avançait, inéluctablement, vers la tribune :

– … je suis extrêmement fière que la direction m'ait confié des élèves aussi appliqués et responsables, des élèves qui ont été éduqués dans le respect, et que jamais… Oh mon Dieu, quelle puanteur ! Mais qui est-ce qui sent mauvais comme ça ? Ouvrez une fenêtre !

Impossible. Le matin, à la première heure, Jakob et Fritz s'étaient chargés de les bloquer de l'extérieur en glissant des cure-dents dans tous les gonds.

Voyant Linda déchaussée en train de se gratter furieusement les pieds, les enfants comprirent d'où venait cette odeur nauséabonde. Peu à peu, tous les regards se tournèrent vers elle et les rires se propagèrent plus vite encore que l'odeur. « Tu as les pieds pourris ! » murmurait le public. Les professeurs se bouchaient le nez, au bord de l'évanouissement, et demandaient au directeur de trouver rapidement une solution.

– Hé, Linda, on a faim ! cria une voix de la dernière rangée. Tu nous donnes un peu du fromage que tu caches dans tes chaussures ?

Quant à Franz, il aurait aimé rire aussi mais il n'en fut pas capable. Voir Linda souffrir à cause des démangeaisons alors que les autres se moquaient d'elle lui parut aussi drôle que voir Holger se balancer en slip suspendu au panier de basket. C'est-à-dire pas drôle du tout. « Au fond, pensa-t-il soudain, Linda aussi pourrait appartenir aux A.U.T.R.E.S. » Quand elle sortit en courant de la salle, ses chaussures à la main, Franz se sentit plus mal que jamais. Il se tourna vers Holger. Il ne riait pas non plus.

Quand la pestilence eut disparu de la salle et que les instituteurs eurent enfin achevé leurs ennuyeux discours, personne n'avait plus envie de goûter au buffet froid. Que valait un verre de jus d'orange chimique comparé à quinze longs jours de vacances ? Les enfants récupérèrent leur cartable et quittèrent l'école à toute vitesse en poussant de sauvages cris de joie, comme libérés d'une cage. Le Salon d'honneur resta vide. Franz s'assit dans un coin pour observer les adultes : à mesure qu'ils entrechoquaient leur verre de vin, leur humeur devenait plus joyeuse et leurs joues plus cramoisies. Quelqu'un s'approcha de lui.

– Salut, Œil de Cobra.

C'était Mèches Electriques, avec son survêtement et des chaussettes vertes.

– Chut ! s'empressa de dire Franz. On ne doit pas nous voir ensemble.

– Je m'en moque. Il ne reste presque plus personne. Je peux m'asseoir ?

– Je ne sais pas… D'accord, mais pas longtemps.

Elle s'assit par terre près de lui.

– Je m'appelle Blume.

– Quoi ?

– Je m'appelle Blume. Ce n'est pas si grave si tu connais mon prénom, si ?

– Je suppose que non, sourit Franz. Moi, c'est Franz.

– Je sais.

Il la regarda plus attentivement. Ce n'était pas une beauté, mais elle avait un sourire très sympathique. Il remarqua ses ongles abîmés. Elle devait se les ronger.

– Franz, murmura-t-elle, cela fait plusieurs jours que je veux te dire quelque chose.

– Quoi ? demanda-t-il d'un filet de voix.

– Eh bien… euh… c'est moi qui ai fait le dessin. Celui sur ton bureau.

– Hein ?

Franz s'étouffa à moitié.

– Ne te mets pas en colère ! Je n'ai pas trouvé d'autre moyen pour que tu rejoignes l'association ! Et comme tu n'avais pas l'air très convaincu…

– Mais comment tu as fait pour…

– J'ai profité de la récréation. J'avais entendu un garçon de ta classe dire le truc de « le borgne a l'œil mort ». C'était horrible, mais efficace. J'ai couru dans ta salle et j'ai fait la caricature.

Franz se souvint que Blume avait été la dernière à aller voir Jakob ce jour-là, et qu'elle était arrivée tout essoufflée.

– S'il te plaît, dis-moi que tu n'es pas fâché, supplia Blume.

– Comment veux-tu que je ne sois pas fâché ! s'exclama Franz.

– Tu as raison. Après les fêtes, tu m'auras pardonné ?

Franz dut faire un effort pour ne pas éclater de rire. Car… après tout, sans ce dessin, peut-être ne serait-il jamais devenu membre des A.U.T.R.E.S.

– Je ne sais pas, je suppose que ça sera passé à ce moment-là.

– Alors je m'en vais. Je peux te faire un bisou d'au revoir ?

– D'accord, fit Franz, très nerveux.

Il tendit sa joue, mais elle déposa une bise sur

son fameux cache. Puis elle se leva et se dirigea vers la sortie.

– Blume, cria Franz.

Elle se retourna.

– Tu dessines très bien, ajouta-t-il. Tu pourrais me donner des cours après Noël.

Blume sourit sans dire un mot avant de disparaître par les portes du Salon d'honneur avec son éternel survêtement rose.

Pour Franz aussi, c'était l'heure de rentrer à la maison. Seuls restaient dans la salle quelques instituteurs et une montagne de verres vides. Mlle Kruegel insistait pour danser un tango avec M. Oster qui, de son côté, s'entêtait à dire qu'on ne pouvait pas danser un tango sans musique et jurait qu'il devait partir faire réparer sa voiture. Franz les laissa discuter joyeusement et rentra chez lui.

A son arrivée, il trouva ses parents habillés

pour sortir, un peu énervés :

– Franz ! Tu sais bien qu'on a rendez-vous pour la visite de contrôle chez l'ophtalmologue ! On va être en retard !

La visite ! Il avait complètement oublié.

– On ne pourrait pas appeler pour annuler ?

– Franz Kopf ! Prends ta veste, tout de suite, et file dehors !

Ils trouvèrent le docteur Winkel aussi bienheureux et baignant dans sa sueur que d'habitude. Dès qu'il vit Franz, Winkel le poussa dans un fauteuil, éteignit la lumière de la pièce de consultation et, comme la fois précédente, lui demanda de lire des dizaines de lettres.

Franz s'exécuta distraitement. Il avait trop de choses en tête : son cache de serpent, les lunettes de Jakob, les étranges paroles de Janika, les ongles de Blume, Holger suspendu au panier, les baskets pourries de Linda, l'associé mystérieux, les vacances de Noël...

– Lis la dernière ligne, grogna le docteur.

– MRTVFU, répondit Franz, épuisé.

Le docteur Winkel se laissa tomber au fond de son fauteuil et fit un clin d'œil à Franz.

– A la bonne heure, mon garçon. Tu as parfaitement répondu au traitement. Tu veux une bonne nouvelle ? On va t'enlever le cache.

CHAPITRE 9

LES DEUX SERPENTS

Quinze jours de vacances ne suffirent pas à Franz pour qu'il se réhabitue à se voir avec ses deux yeux. Il s'enfermait souvent dans la salle de bains et se demandait qui était l'inconnu qui battait des cils comme un idiot de l'autre côté du miroir. Ce n'est que lorsqu'il cachait son œil droit de la main qu'il se reconnaissait enfin, et qu'il murmurait à son reflet : « Ah, c'était donc toi, Œil Mort ! »

Les fêtes passèrent et le moment vint d'envelopper le nougat rance dans du papier aluminium et de remettre l'alarme du réveil. Et surtout, le moment vint de reprendre l'école.

A l'arrêt du bus, Franz et Janika bâillaient comme des hippopotames et patientaient sans s'adresser la parole.

Tandis que le véhicule traversait lentement le brouillard, Franz réfléchissait. Qu'allaient dire les A.U.T.R.E.S. quand ils le verraient sans son cache ? L'inviteraient-ils poliment à quitter l'association ? Ou l'excluraient-ils sans façon ? Ou lui feraient-ils un procès pour trahison ? Il descendit du bus avec un gros nœud dans la gorge et rejoignit une nuée d'élèves qui se saluaient, riaient et protestaient parce que les vacances avaient été trop courtes. Janika disparut dans la foule.

Mlle Kruegel accueillit Franz avec enthousiasme quand elle le vit entrer dans la salle :

– Notre Franz est guéri ! Il a retrouvé toutes ses capacités !

– Je ne les ai jamais perdues, répondit-il sèchement.

Le sourire de Mlle Kruegel se figea sous son épaisse couche de rouge à lèvres. Personne ne dit plus rien sur Franz et son œil pendant le reste de la classe. Emily et Holger ne s'approchèrent pas de lui et Jakob ne lui adressa pas même un regard triste.

Bien que ce soit interdit par le règlement des A.U.T.R.E.S., Franz pensait approcher discrètement la Taupe pendant la récréation pour lui donner des explications. Mais Jakob fut introuvable. Il n'était nulle part : ni dans son coin habituel, ni en train de relever son courrier dans la bibliothèque, ni aux toilettes. Franz s'apprêtait à aller jeter un œil sur les terrains de sport quand il croisa Oliver, le champion de basket.

– Franz, il nous manque quelqu'un pour le match, tu nous rejoins ?

— Non merci, Oliver.

— Allez ! fit joyeusement le sportif avant de baisser la voix. J'ai été obligé de prendre les plus golios de la classe.

— S'ils te dérangent autant, pourquoi tu ne joues pas tout seul ? lâcha Franz, en faisant demi-tour.

Il ne parvint pas à localiser Jakob de toute la récréation et dut donc attendre patiemment la réunion prévue en fin d'après-midi. Ce serait la première de l'année, et tout le monde avait promis d'être là. Par ailleurs, Jakob avait laissé entendre qu'on parlerait de choses importantes, voire très importantes.

A dix-sept heures cinq, quand les lumières de l'école s'éteignirent et que le concierge ferma la porte principale de l'extérieur, la réunion commença. Franz ne cessait de regarder par terre ou de se frotter l'œil droit pour que personne ne remarque l'absence du cache.

Jakob souhaita d'abord une bonne année à tous puis fit l'appel. Pas un seul absent. Les A.U.T.R.E.S. avaient résisté aux vacances de Noël. Jakob poursuivit :

– Avant de définir un plan d'action pour la nouvelle année, je dois vous dire qu'un point important doit être traité en urgence. Œil de Cobra, tu peux venir ?

Ça y était. Ils l'expulsaient. Et ils n'avaient même pas la délicatesse de le lui annoncer en privé. Ce serait là, devant tout le monde, comme quand on lit la sentence d'un prisonnier. Franz approcha de la tribune, les jambes flageolantes.

– Merci Franz, murmura Jakob avant de s'adresser de nouveau au public. J'ai demandé à Œil de Cobra de venir car l'association doit communiquer une information à ses membres, et pour des raisons personnelles, il doit être le premier à être au courant. Je lui demande donc de sortir de la Salle Officielle des Assemblées Secrètes.

– Tu veux dire… que tu m'expulses ?

– Quoi ? fit Jakob en souriant. Mais non, c'est juste qu'il y a quelqu'un qui t'attend dehors.

Très intrigué, Franz se dirigea vers la porte et sortit du gymnase. En effet, dans le couloir obscur qui donnait accès à la salle, une petite ombre faisait les cent pas. L'ombre respirait en produisant des sifflements désagréables qui ne lui étaient pas inconnus. Cela semblait impossible, mais cette ombre était…

– Janika ! cria Franz sans parvenir encore à y croire.

– Salut Franzie.

– Mais qu'est-ce que tu fais là ? J'en ai marre que tu m'espionnes ! Tu as compris ? Pour qui tu te prends pour mettre ton nez dans tout ça !

Tu te prends pour qui, hein ?

– Je suis l'associé mystérieux, Franz. Je... je suis Vipère.

– Qu'est-ce... que... tu as dit ?

Janika eut du mal à calmer son frère et à faire en sorte qu'il arrête de crier pour pouvoir lui donner une explication. Une fois que Franz n'eut plus envie de l'étrangler, Janika se mit à parler très doucement :

– J'ai fait la connaissance de Jakob un jour où j'étais venue te chercher dans ta salle. Comme d'habitude, tu étais parti à l'arrêt de bus sans m'attendre, et il ne restait plus que lui. Personne n'attendait jamais Jakob non plus, alors on est devenus amis. Il m'a avoué qu'il en avait assez d'être tout seul, qu'on l'appelle le bûcheur et que tout le monde dise qu'il était bizarre. Bon, tu sais que moi aussi, je ne suis pas très normale.

Janika émit un petit rire puis un nouveau

sifflement de couleuvre.

– Et c'est à ce moment-là que vous avez eu l'idée de… ?

– La société secrète, c'était mon idée. Jakob a trouvé ça tellement bien qu'il a proposé de s'occuper de tout. C'était à peu près à l'époque où le docteur Winkel t'a dit de porter le cache. Je pensais que c'était l'occasion rêvée de… de…

– De quoi ?

– De faire quelque chose ensemble toi et moi.

– Je croyais que tu me détestais, répliqua Franz, très sérieusement.

– Mais enfin, Franz, c'est toi qui me traites comme une demeurée !

– Calme-toi. Dis-moi pourquoi tu t'es cachée pendant tout ce temps.

– Parce que sinon tu serais parti en courant

de l'association ! Je continuais à travailler pour les A.U.T.R.E.S. par l'intermédiaire de Jakob. Il me mettait au courant de tout.

Peu à peu, tout s'éclaircissait dans la tête de Franz.

– Alors, ce que tu m'as dit sur le sac de sport de Linda…

– C'était une piste. Je savais ce que vous cherchiez, et je savais qu'elle puait des pieds. Je suis souvent dans les vestiaires en même temps qu'elle. Elle change de chaussures à une vitesse supersonique, mais j'ai un nez très sensible. J'ai de l'asthme, si tu te souviens bien…

– Mais je t'ai vue fouiller mon bureau un peu avant pour chercher mon cache d'Œil de Cobra !

– Je voulais simplement le voir. Jakob m'avait dit qu'il était génial. Et il avait raison. En plus, moi aussi je suis un serpent, ce doit être de famille, fit-elle avec son sifflement habituel.

Franz n'avait plus qu'une question à poser à Vipère, peut-être la plus importante.

– Pourquoi tu as fait tout ça, Janika ?

La petite fille regarda fixement son frère et sembla soudain se mettre en colère :

– Parce que j'en avais marre d'être l'anormale de la famille ! Tu étais toujours tellement normal, tellement sérieux, tellement parfait… Tu m'as toujours prise pour une dingue ! Et tu sais quoi ? Je me moque que les autres m'appellent Janika la Folle, ou qu'ils collent des crottes de nez dans mon cahier, ou qu'ils se moquent de ma toux dégoûtante… Mais ce que tu penses toi, ça compte. Je voulais juste que tu te rendes compte que toi aussi tu es un peu anormal !

Les yeux de Janika s'étaient embués et brillaient comme ceux d'un véritable serpent. Franz s'approcha lentement de sa sœur et la prit dans ses bras.

– Tu as raison, Janika. Dans le fond, on est tous un peu anormaux. Sinon… comment pourrait-on nous différencier ?

La petite fille se lova comme un chat dans les bras de son frère. Soudain, une voix les fit sursauter tous les deux.

– Pour l'instant, moi j'arrive à vous différencier.

– La Taupe ! Un jour tu vas me tuer d'une crise cardiaque, cria Franz, furieux.

– Ça fait vingt minutes que vous êtes là dehors et nous, on s'ennuie ! En plus, les autres aussi ont le droit de faire la connaissance de l'associé mystérieux. Janika, tu es prête ?

Janika se coiffa avec les doigts et passa solennellement la porte du gymnase. Franz s'apprêta à lui emboîter le pas, mais Jakob l'arrêta. Il observait Franz très fixement :

— Dis, fit-il en ouvrant des yeux gigantesques derrière ses lunettes de chouette, il y a un truc qui… qu'est-ce que tu as fait de ton cache ?

* * *

Quant à ce que sont devenus les A.U.T.R.E.S., après avoir beaucoup hésité, je me suis décidé à révéler un secret important. La seule chose que je vous demande, c'est de ne pas l'ébruiter.

Les A.U.T.R.E.S. existent. Je veux dire qu'ils existent encore. Sérieusement. Bien sûr, il ne s'agit plus d'une association de trente membres qui se réunissent dans l'ancien gymnase de l'école de Franz. Pas du tout. En peu de temps, Franz est arrivé à convaincre ses camarades que les A.U.T.R.E.S. devaient ouvrir ses portes à d'autres enfants. Au début, Jakob et Janika ne semblaient pas très convaincus, mais Franz a tellement insisté qu'ils ont cédé. L'association a alors commencé à accueillir les élèves qui avaient toujours de mauvais résultats en maths, ceux qui ne marquaient jamais de but pendant les matchs de foot et ceux qui dessinaient si mal que lorsqu'ils voulaient dessiner un éléphant apparaissait un chat.

Les A.U.T.R.E.S. sont devenus si célèbres que, tout d'un coup, tous les enfants ont voulu en être. Jakob et Janika passaient de longues heures assis à regarder défiler devant eux des dizaines de filles et de garçons qui tentaient de démontrer qu'eux aussi étaient suffisamment anormaux pour être admis :

– J'ai énormément de taches de rousseur, arguait un rouquin en montrant ses joues.

– Et moi je boite un peu quand je cours, regardez…

– Ce n'est rien comparé à moi, j'ai six orteils à un pied, les interrompit une fille.

– N'importe quoi, tu inventes !

– Toi, tais-toi, taches de son !

Holger, Emily, Fritz et les autres se sont occupés d'ouvrir des succursales de l'association dans toutes les écoles de la ville et ont créé leur propre système de correspondance secrète. Blume, devenue coordinatrice générale, s'est s'acheté un nouveau survêtement. Franz n'est pas arrivé à la convaincre d'en choisir un qui ne soit pas rose, pour une fois. Mais il ne perd pas espoir.

J'ignore s'il existe déjà une succursale dans ton école. Sinon, il est probable que ce soit pour bientôt. J'ignore où se réunissent ses membres à présent et comment ils entrent en contact avec les nouveaux. Si tu décides d'être candidat, souviens-toi que tu devras démontrer que tu es aussi anormal qu'un autre. Alors peut-être pourras-tu faire partie des A.U.T.R.E.S. Tu sais bien : des Anormaux Unis Très Rarissimes, Exceptionnels et Solitaires. Ou Superdoués. Ou Surprenants. A toi de choisir.

A propos de l'auteur :

Pedro
MAÑAS

Pedro Mañas Romero est né à Madrid en 1981. Il fait ses études à l'Université Autónoma de Madrid qui, en 2004, lui décerne le premier prix d'un concours de nouvelles. C'est dans cette même université que son goût pour le théâtre se développe. Il consacre ainsi une grande partie de son temps à cet art et joue dans différentes pièces destinées aux adultes et aux enfants. En 2006, il fonde avec des universitaires, eux aussi amateurs, la compagnie de théâtre « Le lit défait ». Il y participe autant comme acteur que dramaturge. En 2007, son livre *Klaus Novak, nettoyeur d'égouts* a été récompensé par le premier prix de la 16e compétition de fiction jeunesse de Vila d'Ibi.

Les Editions La Joie de lire bénéficient d'un soutien de la Ville de Genève
sous la forme d'une convention de subventionnement.

Cet ouvrage a été publié avec une subvention
de la Direction Générale du Livre, des Archives et des Bibliothèques
du Ministère de la Culture de l'Espagne.